RATUS POCHE

COLLECTION DIRIGÉE PAR JEANINE ET JEAN GUION

Icare
l'homme-oiseau

Les histoires de toujours

- Icare, l'homme-oiseau
- Les aventures du chat botté
- Les moutons de Panurge
- Le malin petit tailleur
- Le cheval de Troie
- Arthur et l'enchanteur Merlin
- Gargantua et les cloches de Notre-Dame
- La légende des santons de Provence
- L'extraordinaire voyage d'Ulysse
- Robin des Bois, prince de la forêt
- Les douze travaux d'Hercule

© Hatier Paris 2003, ISSN 1259 4652, ISBN 2-218 74534-8

Icare
l'homme-oiseau

D'après la légende grecque

Un récit d'Hélène Kérillis
illustré par Hervé Flores

Dédale

Icare

le Roi

les gardes

Les personnages de l'histoire

Dédale a construit le Labyrinthe. [1]
C'est une immense prison où les [2]
couloirs se croisent sans fin. Il est
impossible d'y retrouver son chemin.

Mais le Roi ne veut pas que
Dédale construise la même prison
pour un autre roi.

Il dit à ses gardes :

– Jetez Dédale et son fils Icare [3]
dans le Labyrinthe ! Ils y resteront
jusqu'à leur mort !

Que cherchent Dédale et Icare ?

– Nous allons mourir ! murmure 4 Icare.

– Il y a un chemin qui mène à l'air libre, répond Dédale. Cherchons-le !

Pendant des jours et des jours, les deux prisonniers marchent dans les couloirs du Labyrinthe. Partout les mêmes murs, partout les mêmes portes. C'est un vrai cauchemar !

Dédale et son fils se laissent tomber à terre, épuisés. 5

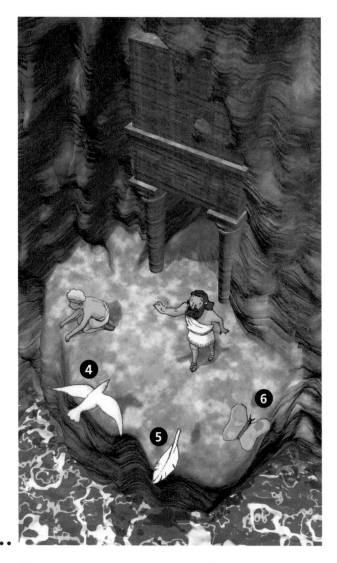

Que veut attraper Dédale ?

Soudain, Dédale dit à son fils :

– Regarde là-bas ! C'est le jour !

Icare et son père courent vers la lumière avec des cris de joie. Mais les couloirs se terminent par une falaise qui plonge dans la mer ! Impossible de s'évader…

En les voyant, de grands oiseaux s'envolent. Dédale tend la main vers une plume blanche qui tombe d'une aile.

– Le seul chemin pour s'évader, dit-il, c'est le ciel !

Que fait Dédale avec les plumes ?

Dédale regarde les grands oiseaux blancs.

– Nous aussi, nous volerons, dit-il. Et bientôt, nous serons libres. Mais il nous faut des ailes.

Pendant des semaines, Icare et son père amassent toutes les plumes qu'ils peuvent trouver. 9

Puis Dédale se met au travail. Il coud les longues plumes sur des baguettes de bois souple. Avec de la cire, il colle les petites plumes une à une. 10

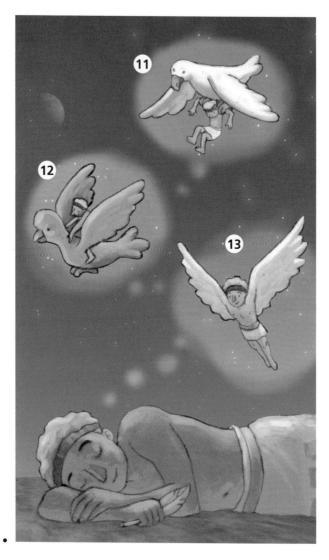

Quel est le rêve d'Icare ?

Icare a trouvé une petite plume bleue. Le soir, il s'endort en la tenant dans sa main.

Et toutes les nuits, il fait le même rêve : un grand vent se lève. Icare fait la course avec lui. Son corps est léger, ses pieds touchent à peine le sol. Il lui pousse des ailes et il s'envole comme un oiseau.

Quand il se réveille, il se sent malheureux avec ses pieds lourds comme le plomb.

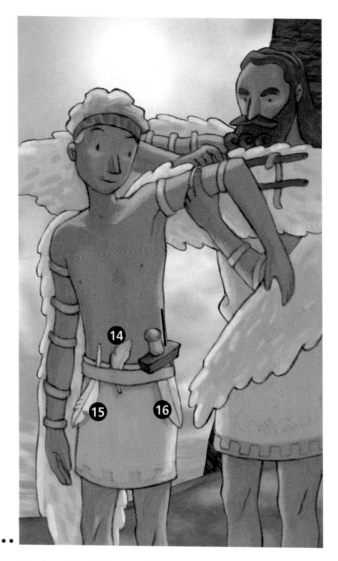

Qu'a glissé Icare dans sa ceinture ?

Un jour, les ailes immenses sont prêtes. Dédale en attache une paire aux bras de son fils et lui dit :

– En volant, ne descends pas trop près de la mer. Sinon, l'écume alourdira tes ailes. Ne monte pas trop haut non plus. Sinon, la cire fondra au soleil et les plumes se détacheront.

Icare sourit à son père et glisse dans sa ceinture la petite plume bleue.

11

12

Que font Dédale et Icare ?

Dédale et son fils s'élancent. Avec leurs longues ailes, ils courent jusqu'au bord de la falaise. En bas, la mer gronde en s'écrasant contre les rochers.

Icare tremble de peur. Mais il tremble aussi de joie : il va enfin voler !

Dédale et Icare regardent l'horizon. 13 Un dernier pas sur la falaise et ils se jettent dans le ciel…

Que font les gardes ?

Les gardes du Labyrinthe entendent des battements d'ailes. Au-dessus d'eux, ils voient passer d'étranges oiseaux avec des bras et des jambes… ¹⁴

– Des dieux ! Des dieux volent dans le ciel ! hurlent les gardes.

Ils ont peur et ils se jettent à terre. Là-haut, Dédale et Icare planent, ¹⁵ libres comme l'air. Ils ont réussi. Ils ont échappé au terrible Roi.

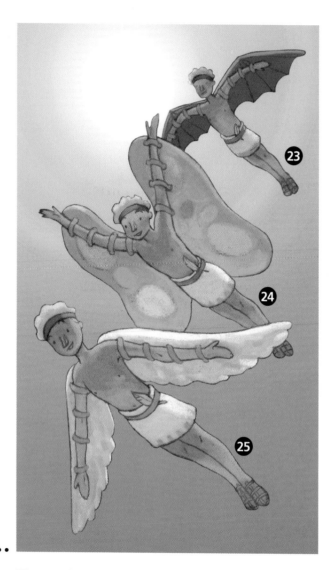

Trouve le bon dessin.

Le rêve d'Icare s'est réalisé : il vole ! Il se sent léger comme une plume soulevée par le vent.

Il monte de plus en plus haut, de plus en plus loin.

Plus rien ne pèse. Il oublie tout : les gardes, la prison, la souffrance. Il n'a jamais été aussi heureux.

Il est l'homme-oiseau. Le ciel immense est son royaume. 16

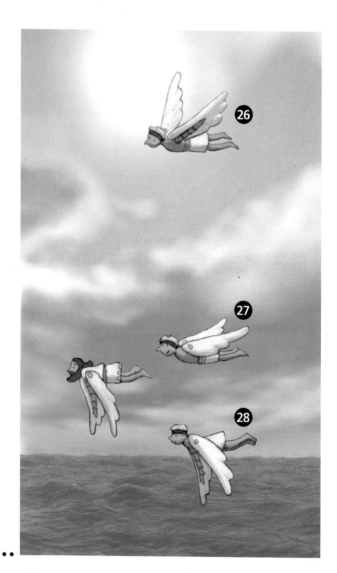

Où vole Icare dans l'histoire ?

Dédale cherche Icare des yeux. Il voit un point blanc très haut dans le ciel, près du soleil.

– Reviens ! crie-t-il à son fils.

Mais Icare n'entend pas. Il ne sent pas que la cire de ses ailes fond à grosses gouttes. Les plumes commencent à se détacher.

– Reviens ! crie Dédale.

Trop tard ! Dans un tourbillon, les plumes s'éparpillent dans le ciel. 17 Plus d'ailes ! Icare tombe dans la mer…

Que va devenir le rêve d'Icare ?

Icare a disparu. Mais Dédale a retrouvé la petite plume bleue.

À travers ses larmes, il la regarde une dernière fois. Puis il la lance dans le vent.

La plume s'envole et s'élève de plus en plus haut, de plus en plus loin. Dédale ne la quitte pas des yeux. Il pense à son fils :

– Icare a ouvert le chemin du ciel. Un jour, les hommes voleront.

18

1
le **Labyrinthe**
(*la-bi-rint'*)

2
immense
Très grand.

3
son **fils** (*fis*)

4
il **murmure**
Il parle à voix basse
car il a peur.

5
épuisés
Très fatigués.

6
une **falaise**

7
s'évader
S'échapper
d'une prison.

8
voyant
(*voi-i.an*)

9
ils **amassent**
Ils font des tas
avec les plumes.

10
des **baguettes**
(*ba-guè-te*)
Des branches fines.

11
l'**écume**
La mousse blanche
faite par les vagues.

12
sa **ceinture**
(*sin-tur*)

13
l'**horizon**
L'endroit au loin
où la mer semble
toucher le ciel.

14
étrange
Pas normal.

15
ils **planent**
Ils volent sans
bouger leurs ailes.

16
son **royaume**
(*roi-iau.m*)
Icare est le roi du ciel.

17
elles **s'éparpillent**
Les plumes partent
dans tous les sens.

18
le **chemin du ciel**
Icare a montré
qu'on peut voyager
dans le ciel.

Les aventures du rat vert

Les aventures de Mamie Ratus

Ralette, drôle de chipie

Les histoires de toujours

Super-Mamie et la forêt interdite

L'école de Mme Bégonia

La classe de 6^e

Achille, le robot de l'espace

Collection Ratus Poche

Baptiste et Clara

Les enquêtes de Mistouflette

Hors séries

Conception graphique couverture : Pouty Design
Conception graphique intérieur : Jean Yves Grall • mise en page : Atelier JMH

Imprimé en France par Pollina, 84500 Luçon - n° L90864
Dépôt légal n° 38124 - octobre 2003